LES INQUIETS

CHARLES GUILBERT

Les Inquiets

récits

LES HERBES ROUGES

Données de catalogage avant publication (Canada)

Guilbert, Charles, 1964-

Les Inquiets : récits

ISBN 2-89419-030-1

I. Titre.

PS8563.U46I66 1993   C843'.54   C93-096282-6
PS9563.U46I66 1993
PQ3919.2.G84I66 1993

Éditions LES HERBES ROUGES
3575, boulevard Saint-Laurent, bureau 304
Montréal (Québec) H2X 2T7
Téléphone : (514) 845-4039

Illustration de couverture : Duane Michals, photo tirée de la série
The Nature of Desire, 1986
Photo de l'auteur : Raymonde April
Infographie : Sylvain Boucher

Distribution : Diffusion Dimedia inc.
539, boulevard Lebeau
Saint-Laurent (Québec) H4N 1S2
Téléphone : (514) 336-3941 ; télex : 05-827543

Dépôt légal : premier trimestre 1993
Bibliothèque nationale du Québec
Bibliothèque nationale du Canada

I

POING

Un petit garçon demande cinq réglisses vertes, poing refermé sur sa pièce de vingt-cinq cents. « Voilà ma belle », dit l'homme qui adore troubler les enfants.

DOIGT

J'ai une drôle de tache sur un doigt. Regarde. J'ai beau frotter avec du Comet, elle ne veut pas disparaître. Il y a un petit point noir dessus. Ça pique. J'ai dû attraper ça dans le jardin : j'ai coupé des branches pleines de nids de chenilles avant-hier. As-tu une loupe? Je pourrais mieux voir ce que c'est. On dirait que ça pique de plus en plus. Ne touche pas! C'est peut-être contagieux. À moins que je n'aie rapporté ça de mon voyage en Syrie. Je me souviens, au collège, le frère Roland était revenu du Burundi avec des plaques comme celle-là, partout sur le corps. C'était un virus. Les médecins ne pouvaient rien faire. Mais c'est peut-être juste deux petites taches. C'est pourtant rare des petites taches avec un point noir dedans. Je devrais aller voir un médecin. C'est tellement petit! On dirait que ça bouge.

BOUCHE

Une fille aux cheveux noirs regarde une petite horloge en forme de faon en buvant un café irlandais sur une mezzanine ensoleillée. Dans sa sacoche, elle prend un petit miroir à main, l'approche de son visage, décapsule un bâton de rouge et se redessine la bouche.

MAIN

Je tends la main à un homme que je déteste. Nous nous sourions. Je ne comprends pas.

PÉNIS

Le bel Espagnol prend mon pénis dans la paume de sa main gantée et s'agenouille pour le regarder de plus près. «C'est joli, dit-il. Deux minuscules vaisseaux ont éclaté. Ce n'est pas plus dangereux que des taches de rousseur, mon ami.» Je me rhabille et le remercie. Soudainement, au moment de sortir du cabinet, je bande. Pour traverser la salle d'attente, je place ma mallette devant mes hanches. En face de l'ascenseur, j'essaie de me faire une raison. Au rez-de-chaussée, mon sexe ramollit. Et dans la rue, tranquillement, mon cœur se desserre.

COU

Le cou de la carafe
Sur la table en demi-lune
Au milieu du salon
Délicatement s'étire

YEUX

Je suis myope.
Le goéland dans le ciel apparaît et disparaît, comme le rayon d'un phare.
Les rochers à marée haute ressemblent à des dos de noyés que caresse l'écume.
Le coucher de soleil est enveloppé d'un tel flou que plus rien ne brûle, plus rien ne saigne, là-haut.
Je suis myope.
Je ne vois pas tes beaux yeux, approche.

JOUE

Le chirurgien explique à sa patiente qu'il va éliminer la plaque cancéreuse en grattant sa joue délicatement mais l'avertit qu'il restera peut-être une marque. La patiente lui demande s'il est possible, en même temps, d'enlever ce grain de beauté qu'elle a sur le menton depuis sa tendre enfance.

CÔTELETTES

Je m'excuse auprès des invités. Les portions sont petites. Je n'ai pas acheté assez de côtelettes.

CHEVEUX

Deux hommes se battent dans le bar à moitié vide. Une femme blonde, debout près d'eux, se tient la tête à deux mains. Le plus jeune enfonce sans arrêt son poing dans le ventre de l'homme aux tempes grises. Le plus vieux n'arrive qu'à arracher au jeune quelques mèches de cheveux. La femme trébuche dans les chaises. Elle supplie les hommes d'arrêter de se battre, prononçant un mot en anglais, un mot en français. Les clients se jettent des regards furtifs. Le barman refuse d'appeler la police.

FOIE

Elle dit : c'est vraiment gentil de m'avoir invitée. Et pense : je n'en peux plus d'être polie. Elle dit : c'est tellement agréable chez vous ! Et pense : ces murs roses doivent être assommants à la longue. Elle dit : c'était délicieux. Et pense : ils auraient pu se souvenir que je ne raffole pas du foie de veau. À dix heures, elle décide de partir. Tu rentres donc de bonne heure ! lui dis-je. J'ai commencé une migraine, répond-elle.

STERNUM

Ma mère me passe autour du cou un cordon auquel est accrochée la clef de la maison. Elle la glisse dans le col de mon chandail. Sur le chemin de l'école, la petite clef rebondit sur mon sternum.

TÊTE

Je n'arrive pas à m'endormir. J'ai trop de choses en tête. Je me dis : ne pense à rien. Je ferme les yeux. Je pense à l'obscurité.

COUDE

J'ai envie de me chamailler, dit-il. Moi aussi, dit-elle. Il la fait tomber sur le lit. Ils se chatouillent. Ils rient. Elle

lui donne un coup de coude sur la mâchoire. Es-tu folle ?
Il lui donne une claque derrière la tête.

CUISSE

Je suis certain de les avoir rapportées, tes cartes géographiques. Elles étaient dans un sac de papier blanc. Quand je suis rentré, tu lisais dans la cuisine. Je me souviens les avoir déposées sur le divan. À moins que je ne les aie oubliées au Long Bar. Vers onze heures, Geneviève m'a quitté. Je me suis assis à la table de Mylène et Jean-François. Nous avons discuté ensemble quelques minutes, puis je suis sorti. Le froid était coupant. Est-ce que je les avais dans les mains ? Il me semble que oui. Il me semble que je tapotais le sac contre ma cuisse en marchant.

PAUPIÈRES

Jean a travaillé comme un fou pour terminer son contrat. Il est épuisé. Neuf heures. Il prend un livre, se déshabille et se met au lit. Dix heures. Ses paupières se ferment. Jean dépose le livre à côté de son lit. Touche son sexe. Se demande s'il a envie de se masturber. Ne décide rien. S'endort.

BRAS

— Photographie-moi dans les neiges éternelles.
— Ouvre tes bras.
— Voilà.
— Ouvre encore.

OVAIRE

— Gilles ? J'appelle pour te dire que je pourrai pas souper avec toi ce soir.
— Tu m'abandonnes !
— Je reviens de la clinique. Ils ont découvert une masse
sur un de mes ovaires. Ils savent pas ce que c'est. Il faut
que je passe une laparoscopie : ils vont me faire une
incision au bas du ventre et vont rentrer une sonde pour
bien voir. Si c'est malin, ils vont être obligés de m'opé-
rer. Je rentre à l'hôpital en fin d'après-midi.

II

KLAXONS

Un pneu éclate et fait déraper la camionnette jusqu'au garde-fou. Un fin grésil tombe sur la ville. Mains nues, il se prépare à actionner la manivelle du cric quand s'élève un concert de klaxons. Un homme, de l'autre côté du boulevard, hurle le nom de son petit chien qui court devant une enfilade de voitures.

BRUITS

Nous ne nous sommes pas fait de steak sur le hibachi depuis qu'il est parti. Ni de feu de foyer. Ni de fondue chinoise depuis qu'il est parti. La pelouse n'a pas été tondue depuis qu'il est parti. Nous n'avons pas arraché les mauvaises herbes dans le jardin. Nous n'avons pas coupé la haie depuis qu'il est parti. Nous n'avons pas repeint la maison. Nos souliers n'ont pas été cirés depuis qu'il est parti. Ni nos vêtements raccommodés. Nous n'avons pas bu d'alcool. Ni joué aux cartes. Ni écouté de musique classique depuis qu'il est parti. Nous ne nous sommes pas fait de coquilles Saint-Jacques. Ni de langoustines. Ni de couscous depuis qu'il est parti. Nous ne lisons plus les journaux. Nous n'ouvrons plus les rideaux. Tous les bruits dans la maison nous énervent depuis qu'il est parti. Et il est parti pour de bon.

HOQUET

J'ai deux horizons
Le jour se lève sur l'un
Sur l'autre on ne sait plus
S'il fait jour ou s'il fait nuit
L'oiseau chargé de l'éveil
A avalé une aiguille de sapin
L'entends-tu hoqueter
Sous les fougères?

RIGODON

Au bas des escaliers roulants du métro, le vieux cow-boy joue du violon. Il met du cœur à jouer son rigodon faux et grinçant, et sourit en regardant les gens qui défilent. Devant lui, assise par terre, une jeune femme crie à tue-tête :

«*Mer-ry, Christ-mas,* Joy-eux, No-ël.» Sur le quai, on entend l'étrange musique du cow-boy et de la folle qui résonne. J'ai peur que quelqu'un saute dans le trou.

TINTEMENT

La potiche échappée
Par terre en miettes
Était un précieux souvenir

Le tintement des morceaux
Au fond de la poubelle
Me pique le cœur

GIGUE

Les adultes forment un cercle autour de l'enfant. Ils frappent dans leurs mains. L'enfant les regarde d'un air étonné. «Fais-nous une gigue», lui dit son père. «Une gigue.» L'enfant se met à sautiller. Les adultes sont émerveillés. Il s'arrête brusquement et pousse un rire rauque. Les adultes en redemandent. «Une gigue», lui dit son père. L'enfant tourne lentement sur lui-même. Paul sort une pièce de vingt-cinq cents de sa poche et la jette devant l'enfant. Ghyslaine fait de même. Monique, Roch, Marcel font de même.

CRI

Le bruit strident de la scie électrique brusquement s'arrête. Un cri fuse. La voisine punit sa petite fille qui vient encore de prendre une poignée de sucre dans le sucrier. Le voisin ramasse les morceaux de contreplaqué.

SILENCE

Les bancs de prière étaient dispersés dans la grande salle. Je me suis agenouillé en silence. De petites ampoules bleues illuminaient une grotte en fausses pierres dans laquelle la Vierge, assise, tenait l'enfant Jésus. J'ai fermé les yeux. Je suis longuement resté immobile. J'ai cru qu'IL était là.

SOUPIRS

Le médecin lui conseille d'éviter de soupirer. Les soupirs changent le pH du sang. Ils le rendent très acide. C'est ce qui provoque les ulcères d'estomac.

SONNETTE

Leur maison n'est jamais fermée à clef. On peut entrer même en leur absence. Je presse le bouton de la sonnette. Ils ne répondent pas. J'entre. Ils sont l'un sur l'autre, nus dans le lit. «Entre, disent-ils, nous faisons l'amour, assieds-toi, ce ne sera pas long.» Luce me sourit, se retourne vers Paul et l'embrasse. Il gémit. Luce a un joli corps tout en courbes. Ses deux fesses rebondies s'ouvrent et se referment élégamment. Paul est maigre. Son corps blanc est garni de poils blonds. Il ne bouge presque pas. Par un habile jeu de hanches, Luce sait le contenir. Soudainement, elle donne quelques coups plus rapides. Paul jouit. Quelques coups encore et elle jouit. Ils s'embrassent, se frottent le nez, puis se tournent sur le côté. Je les regarde tendrement. Ils ont vraiment l'air heureux. «Va donc faire de la camomille», me disent-ils. Je m'approche du lit, les embrasse tour à tour pour leur dire bonjour et chuchote : «Vous êtes extraordinaires.»

MURMURE

Pouls fuyant
Crépuscule

Murmure

Aube
Pouls fuyant

CRAQUEMENT

Je gare ma bicyclette contre la clôture de fer forgé. Devant la porte de ton appartement, je cherche ta clef dans mon trousseau. Je ne t'ai pas dit que je viendrais cette nuit. C'est une surprise. J'ouvre la porte. Soudainement j'ai peur que tu ne sois avec un amant secret. Je monte l'escalier sans faire de bruit. J'enlève mes souliers. Je marche doucement vers ta chambre sur le plancher qui craque.

III

MÉSANGES

«On a posé des cabanes d'oiseaux dans la cour. Ce sont
des moineaux qui les ont occupées. J'aime les oiseaux,
mais pas les moineaux. Il a fallu vider les cabanes, jeter
les œufs, les oisillons et les nids. C'est des mésanges
qu'on voudrait. Quelque chose de plus rare.»

DINDE

Il va mettre le feu! dit la serveuse.
Une grande flamme monte du fourneau.
Le cuisinier rit.

Une assiette de dinde, demande le camionneur.
Elle est toute partie, dit la serveuse.
Partie en volant! dit le cuisinier.

CHATTE

L'homme aperçoit trois voyous qui montent sur le balcon arrière de son voisin. Il sort de sa maison et les interpelle. Les voyous essaient de s'enfuir. L'homme part à leur poursuite. Il attrape un garçon aux longs cheveux frisés. Il le traîne jusqu'à sa maison et lui ordonne de s'asseoir tranquille dans le fauteuil en velours. L'homme appelle les policiers. Ils arrivent tout de suite. L'homme explique que le garçon était en train de cambrioler la maison du voisin avec deux de ses amis. Le garçon dit que c'est faux, qu'ils couraient après leur chatte. « Quel est le nom de cette chatte ? » demande le policier aux cheveux blonds. « Minette », répond le garçon. « Pourquoi se serait-elle sauvée ? » demande le policier aux cheveux noirs. « Parce qu'on l'a mise dans un sac de plastique et qu'on l'a accrochée à la corde à linge. On l'a brassée un peu. Elle n'a pas aimé ça », répond le garçon.

COULEUVRES

Dans les prés, sur les grèves et sur les toits, j'ai le cœur lourd, les yeux écarquillés. Je cherche le busard et l'étourneau, le nid de guêpes et l'orignal. J'ai peur des rafales, des rayons vifs, des gouttes gelées. Je ne chasse pas, ni ne pêche. Quand je plonge mon nez dans le foin, c'est discrètement, comme pour sentir un parfum léger sur le poignet d'une femme que je ne connais pas. Je me brise les dents sur les rochers glissants. J'ai le vertige dans les hauteurs, même loin des bords. Je me perds dans les hauts épis. J'entends passer des couleuvres. Je trouve des crânes de vache et des plumes noires sur mon chemin.

REQUINS

Le professeur nous a expliqué que donner un cadeau, c'est faire un sacrifice. Pour l'échange de cadeaux de Noël, déterminé au hasard, elle nous demande d'offrir un objet qui nous appartient et que nous aimons beaucoup. J'ai choisi de donner le sceptre en bois que m'a sculpté mon grand-père. Dans ma chambre, je pleure. Ma mère me demande ce qui ne va pas. Je lui explique. Elle me dit que le professeur est dans l'erreur. «Pour le petit garçon à qui tu le donneras, le sceptre n'aura peut-être aucune signification. Il n'a peut-être même pas lu *Le Sceptre d'Ottokar*! Il n'a peut-être jamais lu une seule aventure de Tintin. Offre-lui plutôt un de tes albums. *Tintin et le Lac aux Requins,* par exemple. Ce n'est pas ton préféré. Mais tu te sacrifierais en le donnant : ta collection serait désormais incomplète.»

ÉPERVIER

L'épervier aperçoit une bouteille dans un fossé. Il l'agrippe et s'envole vers le mirador où un jeune soldat assoiffé fait les cent pas.

COCHON

«Ton frère voudrait que tu l'aides à saigner un cochon en fin d'après-midi», dit la vieille femme à son mari qui entre pour dîner. Leur fille aînée, en visite chez eux, feuillette distraitement un livre de tricot dans le salon. «Tu connaissais la petite Loiselle mariée à un Laliberté? Elle est morte dans un accident d'auto sur la Charlotte.»

LIÈVRE

Le party du jour de l'an est dépourvu de toute fébrilité. Engourdis par l'effet du vin mousseux, les invités se laissent engloutir par les fauteuils mous. Bertrand introduit dans le magnétophone une cassette de musique très rythmée. Il monte le volume pour que les gens se mettent à danser, prend Sylvie par la main et l'entraîne au milieu du salon. Elle entre dans une transe soudaine. Les bras en l'air, elle frétille, accroche les guirlandes qui se déchirent, les enroule autour de son cou et fait le numéro du lièvre étranglé.

PANDAS

Josée a terminé sa recherche sur les grands pandas. L'équipe de Rémi a perdu la partie de basket-ball. Ils jouent aux dames dans la cuisine. Leur père les appelle de Miami.

ÉCREVISSE

Je cache la médaille sous le pylône électrique. Un garçon du nom de Stéphane nous rejoint dans la clairière. «J'ai touché l'écrevisse», dit-il. Nous l'entraînons dans la grotte. Il doit maintenant mettre une graine de citrouille dans son nombril.

BŒUF

Il faisait des petits larcins au départ. Il volait des œufs de Pâques et des revues pornos au dépanneur. Un soir que nous rentrions à la maison en autobus, je lui ai dit : «Qui vole un œuf vole un bœuf.» C'est ma mère qui m'avait appris l'expression. Il m'a demandé ce que ça voulait dire. Je lui ai expliqué. L'idée de voler un bœuf le faisait bien rire. Nous nous sommes perdus de vue vers l'âge de quatorze ans. Ma mère rencontre régulièrement sa mère à l'épicerie. Elle se fait beaucoup de souci pour son fils. Il a été arrêté pour vol d'auto récemment. Elle dit qu'il a de bien mauvais amis.

CHIEN ET CHAT

Dos arqué, griffes sorties, le chat fixe le vieux chien qui se balade au bord de la grève. Le chien est tout boursouflé. Il ressemble à une petite vache. Contournant le bosquet, il aperçoit le chat. Il avance tranquillement et fourre son museau dans le derrière du chat, qui ne bouge pas. Il renifle un bon moment, puis lève les yeux vers l'horizon.

COQ ET LION

Elle dit : comme le coucher de soleil est beau ce soir ! Il dit : sens-moi cette rose sauvage. Elle dit : un volier de canards file à l'horizon ! Il dit : as-tu vu ce rocher en forme de coq ? Elle dit : ce gros nuage ressemble à un lion !

IV

CHALEUR

En revenant du travail, l'infirmière sort de sa sacoche une carte de remerciements reçue d'une patiente et la tend à son mari. Il l'ouvre et lit : «Dans notre monde robotisé, vous êtes restée vigilante. Votre amabilité, votre douceur, votre chaleur humaine forcent l'admiration. Si tous possédaient vos belles qualités, notre planète serait une immense oasis.»

TISONS

Les tisons revolent
Et se déposent
Dans la chevelure
D'un homme saoul
Pour qui les mélodies
Entonnées par les amis de sa blonde
Sont des chants de guerre
Bourdonnant
Au-dessus d'une troupe
De vieux militaires

FEU

Le cadet de la famille perdit pied et tomba dans un immense trou d'eau. Quand ses frères le repêchèrent, il était glacé. Le cheval ahanait sur le chemin bossu. Ils transportèrent le petit en hâte jusqu'à la cabane à sucre. Ils le déshabillèrent et l'installèrent tout près du feu. Pour le faire rire, ils lui dirent qu'ils allaient le mettre dans un chaudron et en faire de la bonne tire.

FLAMME

Une musique planante vogue dans la maison. Je me promène d'un bout à l'autre de l'appartement à grands pas. Dans la chambre, j'enlève ma chemise. Dans le salon, j'esquisse de grands cercles avec les bras, tourne sur moi-même, renverse la tête, pose les mains sur le sol et m'étends sur le tapis rouge flamme.

ARDEUR

Lise venait de quitter
Celui qu'elle aimait
Pour un autre homme
Qu'elle adorait
Quand elle rencontra
Celui qui la remplit d'ardeur

POÊLE

La louche passe la nuit dans le chaudron vide. L'assiette passe la nuit dans le lavabo. La fourchette passe la nuit sur le poêle. Le verre d'eau passe la nuit sur la table de cuisine.

V

GLAÏEULS

Je joue avec mes cousins dans le sous-sol du salon mortuaire, puis nous allons au dépanneur d'à côté et achetons des lunes de miel. Devant le salon mortuaire, il y a un petit mur en béton sur lequel nous grimpons et marchons en équilibre. Mon père vient me retrouver dehors et me demande : «Tu ne veux pas voir grand-papa une dernière fois?» Je ne sais pas. Il me prend par la main et m'attire dans la salle d'exposition. Il y a des dizaines de personnes silencieuses. Je dis à mon père que j'ai peur d'approcher. Il me prend dans ses bras, me lève au-dessus de la foule. Au fond de la salle, j'aperçois mon grand-père, blanc comme un drap, couché dans les glaïeuls.

HÊTRE

Le caillou
A avalé
L'ombre d'un hêtre

Regarde
Il grelotte
Dans ma main

QUENOUILLES

C'est une jolie promenade que nous faisons, nus dans les bois. Les moustiques me piquent l'arrière des cuisses. Je regarde à l'horizon pendant que tu me suces. J'y vois une rivière, une colline, des aubépines et des fraisiers en fleurs. Il fait chaud dans ce bois. Il fait chaud cet après-midi, n'est-ce pas? Quelle drôle de caresse tu m'as faite là. J'en frissonne encore. Ah! le plaisir d'une main étrangère! Il faut sauter le ruisseau. Donne-moi ton sac. Je te suce pendant que tu cueilles des quenouilles. Les jambes te manquent par moments. On se regarde droit dans les yeux. On s'aime à la folie. Tellement qu'on ne sait plus être sincères. Tu détournes les yeux, enfonces ta tête dans mon cou et me donnes des baisers. Le voyage ne fait que commencer.

TRÈFLE

— Oh! Il sort en trèfle, le sacripant, dit mon père.
Je remporte la première levée. Je jette un cinq de pique.
— Il va à la pêche, dit ma mère.
— Tiens! dit Simon, tout sourire, en déposant son as sur la table.
Nous remportons la deuxième levée.
— Ils ont toutes les belles cartes! dit ma mère.
Simon jette un roi de carreau.
— Qu'est-ce que tu fais là? lui dis-je.
— Je n'ai rien d'autre, répond Simon.
Mon père jette l'as.

— En voilà une, dit-il. On va les découdre, trésor.

Il jette la blanche.

— En voilà deux.

— Au secours ! dis-je.

Il jette un roi de pique.

— Et en voilà trois !

— Onnn ! fait Simon.

— On vous a battus ! dit ma mère.

Je me cache le visage avec un coin de la nappe. Nous rions.

ROSEAUX

Cuisses au vent, il marche dans la rue large. Et l'air frais pénètre dans ses os, qui tremblent comme des roseaux.

NÉNUPHAR

Horaire télé à la main, je me laisse choir dans le fauteuil qui se déplie puis bascule complètement. J'entends une plainte. Dans ma chute, j'ai frappé ma grand-mère qui tricotait près de la fenêtre. Elle pleure en tenant sa jambe à deux mains. Je m'excuse. Je vais chercher une compresse d'eau froide. Je m'excuse encore. Ma grand-mère s'étend sur le divan. Elle ne dit pas un mot. Je reste auprès d'elle un petit moment, puis je sors. Je ne l'ai pas fait exprès. Je plonge dans le lac et fais l'étoile sur le dos. Je sens mon corps caler puis remonter au rythme de ma respiration. Je ferais tout pour effacer l'accident. Près du quai, je cueille un nénuphar en fleur. Je rentre dans le chalet et donne la fleur à ma grand-mère qui tremble. Elle s'entoure le cou de la grande tige. La fleur flotte sur son sein. J'aperçois l'immense ecchymose sur sa jambe. Je lui demande si elle veut aller à l'hôpital. Elle fait «non» de la tête. Mes parents arrivent au chalet en fin de soirée. Ils demandent si tout va bien. Nous ne répondons pas. Mon père aperçoit la jambe bleue.

FOINS

— Guy est malade.
— Il n'écoute pas quand on lui parle.
— Qu'est-ce qu'il fait la fin de semaine?
— Il a la fièvre des foins.
— Est-il toujours avec Luce?
— Comment savoir?
— Il fume trop.
— Et répète tout ce qu'on lui dit.
— Pauvre Guy.

SAULES

L'enfant rêve encore à la crevasse maléfique fourmillant de bestioles à longues pinces. Il s'agrippe aux fines branches des saules pour ne pas tomber. Le vent souffle très fort. Il se réveille, apeuré, et appelle ses parents. Ils ne viennent pas à sa rescousse. Il se lève dans la noirceur, se dirige à l'aveugle vers leur chambre. Les draps sont défaits. Ils ne sont pas là. L'enfant se dirige vers la chambre de sa petite sœur. Les draps sont défaits. Elle n'est pas là. Il descend dans la cuisine, regarde par la fenêtre. L'auto a disparu.

LILAS

Cœur deux bonds
Regarde ce bel homme noir
Sur notre sentier secret
L'oiseau sur mon épaule
Un homme coupe la haie
Au coin des rues
Encore la joie
Le doux parfum
Des beaux lilas

RHUBARBE

Je parle à Louise au téléphone. Éric gesticule. Il me souffle : dis-lui que sa compote est délicieuse. Louise nous a donné un pot de compote de rhubarbe la semaine passée. Nous convenons d'un lieu et d'une heure pour le rendez-vous. Je serai là sans faute, dit-elle. À plus tard. Je raccroche. Éric marmonne : tu as oublié.

OLIVIER

— Mon maître soutient que tu es un passeur, que tu peux m'aider à faire le lien entre l'imaginaire et le concret. Je n'en peux plus de flotter.

— Ces idées de passeur me font peur. Je ne crois pas aux pouvoirs magiques. Je suis trop rationnel pour monter dans cette galère.

— Tu portes toujours des couleurs végétales. Mon maître dit que tu as des racines très profondes. Regarde-toi dans un miroir avec tes souliers bruns, ton pantalon brun, ta chemise verte et tes yeux verts.

— Quoi?

— Tu ressembles à un olivier.

VI

SOLEIL

Ma grand-mère me raconte sa dernière année de célibat. Elle enseignait alors dans une école de rang à La Sarre en Abitibi. À la récréation, ses petits élèves se chamaillaient pour lui tenir la main. Elle leur donnait chacun un doigt. Elle marchait toujours entourée de dix enfants. Elle doit maintenant descendre au deuxième étage pour souper. « Viens avec moi, dit-elle, j'ai quelque chose à te montrer. » En sortant de l'ascenseur, nous entrons dans un hall où des dizaines de personnes âgées attendent l'ouverture de la salle à manger. Ma grand-mère m'entraîne devant une aquarelle abstraite balayée de taches jaunes, vertes et roses. « J'aime cette peinture-là, dit-elle, mais je n'arrive pas à savoir exactement ce qu'elle représente. Qu'est-ce que tu y vois ? » J'observe les masses de couleurs et réponds instinctivement : « Du soleil, un champ, des fleurs. » Ma grand-mère hoche la tête. Je lui demande : « Que voyez-vous ? » Elle murmure : « Un homme.» Elle regarde autour pour s'assurer que personne n'écoute, et continue : «Je vois un homme, mais on ne peut jamais regarder à son aise ici.»

LUEUR

Dans la nuit noire
Seul luit
L'autocollant
Sur lequel est inscrit
Le numéro des pompiers

LAMPE

Le magasin est bondé de clients qui achètent des reproductions de tableaux laminées, des lampes, des poupées en porcelaine, des kimonos, des parfumeuses. J'enveloppe tout ça dans du papier rouge couvert de petits cœurs blancs. Je cours sans arrêt de l'entrepôt à la caisse. Je dois faire vite. Devant une cliente, j'échappe un petit abat-jour en verre dépoli. Le gérant m'engueule, les dents serrées. Pendant que je ramasse mon dégât, il répète : «Franchement, franchement celui-là.» Il prend une autre lampe qu'il emballe pour la cliente. Je vais jeter

l'abat-jour brisé dans l'entrepôt. Parmi les petites la
emballées dans le plastique, je me mets à sangloter.

ÉTOILES

Il n'y a pas de porte
Pour sortir
Pas de fenêtre
Pour voir les étoiles
Rien
Pas même un plancher
Où s'étendre

ÉTINCELLEMENT

Madame Fortier, qui souffre de la maladie d'Alzheimer,
chigne, assise dans son fauteuil. Je passe la vadrouille sur
le plancher de sa chambre. Je vide la poubelle. Je nettoie le
lavabo. Dans le miroir, je m'aperçois. Je pousse mon car-
rosse jusqu'à la chambre de madame Denis, atteinte de
sclérose en plaques. « Qu'est-ce qu'ils ont pensé d'engager
un homme pour faire le ménage ? » murmure-t-elle. « Tu
vas secouer le tapis de douche et passer la vadrouille
comme il faut en dessous du lit. » Je vide la poubelle. Je
secoue le tapis de douche. Je passe la vadrouille en dessous du lit. Je frotte le miroir. Il étincelle.

NÉON

— Monique dort.
— J'éteins le néon derrière l'aquarium.
— As-tu vu les gros flocons ?

SCINTILLEMENT

J'ai peinturé un escalier en bleu, marche après marche, en tenant le pinceau solidement au creux de ma main. J'ai fait bien attention de ne pas tacher les murs blancs. Je me suis sali les deux coudes et un genou. Du bas de l'escalier, j'ai longtemps regardé les marches. Elles scintillaient comme pour l'arrivée d'un prince. En haut, j'avais oublié ma bouteille de vin.

MIRAGE

Tu voyageras encore
Mirage
Devant moi
Comme une ombre

RAYONNEMENT

Je monte dans l'autobus et me faufile jusqu'à l'arrière. Les gens me regardent. Je leur souris. J'approche mon poignet de mon nez et respire la nouvelle odeur. Je repense à la nuit. Nous nous sommes caressés à pleines paumes. Nous nous sommes embrassés comme deux avaleurs. Je n'ai presque pas dormi. Mais quoi de plus reposant que d'appuyer ma tête sur son ventre ? Quoi de plus puissant que de poser mon sexe sur le sien ? Au réveil, il a mis une goutte de son parfum sur chacun de mes poignets. Je suis sorti de chez lui en sautillant. Je savais que je rayonnais.

LUMIÈRE

On est si bien
Dans une maison propre
Quand tout est à sa place
Le soleil projette
Des carrés de lumière
Sur le plancher brillant

Les souliers sont cordés
Dans le garde-robe
Les serviettes immaculées
Sont pendues aux porte-serviettes
On dirait
Une nouvelle vie
Qui commence

VII

PAGES

J'ai rêvé que tu vomissais. Je te regardais, debout dans le cadre de porte. Agenouillé devant le bol de toilette, tu vomissais de longues ficelles jaunes et blanches. Ça ne sentait pourtant pas mauvais. Dans le bain, il y avait un tout petit peu d'eau sur laquelle flottaient les pages déchirées d'un livre.

DOSSIERS

Elle accomplit le travail seule depuis le matin tandis que la paresseuse boit du café en faisant semblant de réviser les dossiers. Les gens attendent longtemps en file. Ils deviennent impatients et acrimonieux. À l'heure du dîner, elle suggère à la paresseuse de séparer plus équitablement le travail. La paresseuse devient furieuse.

BIBLIOTHÈQUE

En classant des revues dans la bibliothèque, j'accroche un morceau de métal et me coupe le bout d'un doigt. Le sang afflue. Je me rends à la salle de bain en plaçant mon autre main sous mon doigt pour ne pas tacher le tapis. J'ouvre le robinet et laisse couler de l'eau froide sur la plaie pour stopper l'hémorragie. Dans la petite armoire, je prends un bandage adhésif que j'applique sur ma blessure. Et je retourne classer les revues.

LIBRAIRIE

— D'où viens-tu?
— De la librairie.
— Tu mens.

PHRASE

Ta nouvelle amie se faufile entre les tables et se rend jusqu'au fond du restaurant. Tu me demandes si je juge que vous êtes bien assortis. Je dis que cette fille est fort sympathique et qu'elle a un très bon sens de l'humour, ce qui n'est pas la moindre des qualités. Tu es content de ma réponse. Elle revient, s'assoit et nous raconte qu'elle a lu une phrase étrange sur le mur : «J'aime cette salle de bain, elle est laide.»

ORTHOGRAPHE

— J'ai bien vérifié, car je sais que tu relèves toujours les fautes d'orthographe dans les cartes de fête. Est-ce qu'il y en a ?
— Une.
— C'est impossible !
— Comment s'écrit le mot «tranquille» ?
— T-R-A-N-Q-U-I-L-E.
— L-L-E.
— Oh !
— Tu me souhaites de bien belles choses, cousine.

ÉCRITURE

Ma grand-mère s'ennuie l'après-midi. Chaque fois que je la visite, je lui apporte une rose et un livre. Cette fois-ci, j'ai choisi *La Route d'Altamont* de Gabrielle Roy. On n'y retrouve pas de violence, pas de sexualité débridée, pas de drogue, pas d'immoralité. Ma grand-mère est heureuse. Elle adore Gabrielle Roy. J'ai quand même hésité avant de lui apporter ce beau livre parce qu'il y est entre autres question d'une grand-mère qui meurt. Je l'avertis : « C'est un livre assez triste, grand-mère. Je ne sais pas si j'ai fait un bon choix.» «Triste, ça ne me dérange pas, dit-elle. Pourvu que ce soit bien écrit.»

ENCYCLOPÉDIE

Je fouille dans l'encyclopédie pour savoir le nom de ce bel oiseau à gorge noire. C'est un moineau.

LETTRE

Elle est revenue de Québec plus tôt que prévu. Elle l'a surpris dans le lit avec une autre fille. Elle a claqué la porte et s'est enfuie en courant. Le lendemain, pendant son absence, elle est allée chercher toutes ses affaires et lui a laissé une lettre de rupture avec une adresse de retour. Il ne lui a jamais écrit pour s'expliquer.

RIMES

— Écoute.
— Le temps des rimes est fini.

CHAPITRE

Je lis un petit roman dans un café sombre. Je lis vite. Le sens des mots m'échappe presque. J'ai hâte de terminer ce livre pour en commencer un autre. Le serveur m'apporte un thé à la vanille. Je m'allume une cigarette en commençant un nouveau chapitre. Entre deux bouffées, je me dis que j'ai hâte d'en fumer une autre.

VIII

COUCHER DE SOLEIL

Ma grand-mère a des crampes d'estomac. Elle a du mal à digérer la crème de brocoli, les haricots jaunes et la sauce sur le steak. Elle enlève ses lunettes : on découvre sous ses yeux deux cernes bleus. Ma grand-mère s'allonge sur son divan-lit et s'endort auprès d'une photo d'elle et de son mari, aujourd'hui disparu, tous deux étendus dans un champ au coucher du soleil.

TEMPÊTE

L'arbre qui n'a jamais connu la tempête
Laisse tomber ses feuilles jaunies
Sur le tapis coquille d'œuf à long poil

ÉCLIPSE

J'ai avalé un morceau de vitre. Je me suis fait piquer l'oreille par une mouche à chevreuil. J'ai bu de l'eau de

Cologne. Je me suis cogné l'orteil sur le porte-journaux. J'ai regardé l'éclipse. J'ai respiré des vapeurs de cyanure. J'ai mangé une nectarine moisie. J'ai fumé des feuilles de peuplier.

RAFALE

Dans sa cabane battue par la rafale, un scotch à la main, elle contemple son nouveau tableau en riant. Elle a peint son garçon en fille. Il a l'air d'une Japonaise. Il est si pâle ! En arrière-plan, elle ajoutera une pleine lune voilée par un arbre au pied duquel reposera un appareil-photo.

ARC-EN-CIEL

Regard triste dans le soleil
Clin d'œil mat sous l'arc-en-ciel
Cils graciles dans le vacarme
Pluie de larmes

TONNERRE

Un chien jappe du haut de la falaise. Les arbres bougent en tous sens. Les vagues se fracassent sur les rochers. Un lointain coup de tonnerre se fait entendre. La marée monte.

Un goéland blessé chiale dans les algues. Le soleil réapparaît juste au-dessus des montagnes. Les fleurs se referment. Tout devient rose. Un morceau de styrofoam échoue sur le rivage.

IX

MANTEAU

«Ils m'ont encore envoyée aux brosses. Je leur ai dit : il fait trop froid en bas, c'est pas une place pour les femmes ! J'ai travaillé toute la journée avec mon gros manteau sur le dos. Je suis morte. Je leur ai dit : tant qu'à ça, mettez-moi sur la spinneuse. »

BAS

C'est si calme, si gris, avec la pluie, cette musique, comme des oiseaux qui chantent, les fleurs sauvages sur la table, le jus de fruits, c'est si calme, le ciel couvert, le lit défait, les vêtements éparpillés, c'est si vert, si frais, le vert du sapin, de l'érable, le vert des rosiers, du cormier, c'est si calme, seul, à se préparer à dîner, le vert du gazon, la soupe qui bout, le bras du tourne-disque qui se lève, c'est si doux, les pieds au chaud dans des bas de laine, le déclic du thermostat, j'entends une voix, un écho dans ma tête, je répète tout ce que je pense, c'est étrange, ça m'étourdit, je regarde dehors, regarde dehors, c'est si calme, avec la pluie, qu'est-ce qu'il y a la pluie, c'est calme, écoute un peu, j'écoute, ma voix, la musique, des oiseaux, ah! les bas, les bas de laine, je me gratte la tête, j'entends mes doigts, tout résonne, il pleut, j'ai besoin d'une sieste, c'est si calme, j'ôte mes bas.

CALEÇONS

Ma cousine éternue tout au long de la messe. L'enfant de cœur remonte sans arrêt ses caleçons à l'élastique usé. Mon oncle marguillier me regarde jeter ma maigre aumône. Le prêtre se cogne les dents sur le calice en or. La chanteuse pousse un alléluia très faux.

VESTON

— Il y a longtemps que je voulais te le dire : tu es très beau.
— Merci.
— Je tenais à te le dire. Chaque fois qu'on se quitte, ça me poursuit. Je me répète : il faut que je lui dise qu'il est beau. Et quand tu portes ce veston-là, c'est encore plus frappant.
— Merci beaucoup.

PANTALONS

Dans la cave, le garçon et son ami baissent leurs pantalons
et lèchent tour à tour leurs petits sexes. Le père, revenant
de travailler, surprend son fils la tête dans l'entrejambe
de son ami. «Hé!» fait-il. L'ami remonte ses culottes et
file chez lui. Le père attrape son garçon par les cheveux,
lui donne un coup de pied, le pousse dans les marches
d'escalier, le jette contre la porte de sa chambre.

CHEMISE

Le vendeur te conduit à la salle d'essayage. Tu enlèves
ton chandail, enfiles la chemise à petites fleurs mauves,
la boutonnes, rentres les pans dans ton pantalon. Tu lèves
les yeux vers le miroir. Ton visage s'illumine. En secret,
tu te souris.

MAILLOT

Il se promène en pieds de bas sur le ciment. Un coup de
vent emporte les pétales des fleurs de merisier qui le
convient à un mariage avec personne. Il entre dans le

dépanneur, va directement vers le congélateur et choisit une glace. Il paie, sort, développe la glace : ce n'est pas ce qu'il voulait. Cette glace contient une crème à l'orange recouverte de chocolat, lui voulait une glace à l'orange contenant une crème à la vanille. Il retourne chez lui en pieds de bas. Un garçon en maillot de bain est étendu dans le salon. Il demande à sa colocataire s'il peut la regarder peindre. Il observe les timides coups de pinceau, la tête de sa colocataire qui va et vient du garçon étendu à la toile.

SOULIERS

«C'est fini. On ne fera plus nos petits soupers à quatre. Leur couple est brisé. Ils sont séparés à tout jamais. Pour moi, c'est comme si quelqu'un venait de mourir», dis-je.
«Il faudra vivre sur nos souvenirs», dit-il.
J'entends : «Il faudra visser nos souliers. »
Je dis : «Oh! oui, comme ça plus rien ne bougera. »

JUPE

La lumière de la station éclate dans ses yeux. Elle passe sa main sur sa jupe pour enlever les poussières. Le wagon s'immobilise. Elle se lève, se fraye un chemin parmi les nombreux passagers, jusqu'à la porte, qui s'ouvre.

CHANDAIL

José porte les cheveux ras. Il a une tache de naissance sur une jambe. J'aime me promener en sa compagnie dans les HLM. J'aime quand il s'assoit sur la barre de mon bicycle. J'aime quand il me passe le bras autour du cou en signe d'amitié. José est dernier de classe. Son père travaille dans une usine de crayons de plomb. J'écris les lettres qu'il me demande d'écrire pour ses amoureuses. Il me dit de me cacher dans le garde-robe afin de voir les seins de Linda qui enlève son chandail pour lui prouver son amour. Il enlève aussi le sien. Il a un corps doré. Il caresse gentiment les seins de Linda. Elle glisse une main dans ses culottes.

PANTOUFLES

Ma grand-mère
Traverse
Lentement
Le corridor
Étonnée
De sentir
Le poids
De ses pantoufles

PYJAMA

Il reste seul au bureau. Il allume l'ordinateur et joue au golf électronique. Une partie, une autre encore, jusqu'à ce que l'écran lui brûle les yeux. Tout près de chez lui, il s'arrête au delicatessen et commande une pizza. Il rentre à la maison, mange, enfile son pyjama et s'installe devant la télévision. Vers onze heures, sa femme rentre de l'université. Elle lui parle de son jeune professeur et de la collègue avec qui elle suit le cours. Il écoute sa femme et la télé en même temps.

CHAPEAU

La nuit descend
Sur ton chapeau
Tiens-le d'une main
Il veut s'envoler

La nuit descend
Dans tes oreilles
Tu entends
Un sifflement
Tu tournes la tête
Il n'y a rien

La nuit descend
Dans ta poitrine
Il bat très fort
Ton cœur de mousse

IMPERMÉABLE

Johanne appuie sur la sonnette depuis près d'une heure. Elle sait qu'il est là. Il ne veut pas répondre. Il tourne en rond dans la maison. Elle cogne à pleines mains sur la porte. C'est la nuit. Il fait froid. À travers la porte, il dit : «Johanne, c'est fini. Je sais que tu vas encore me frapper. Je veux pas te laisser entrer.» Elle hurle. Elle s'affaisse sur le balcon de pierre et se recroqueville. Il la voit par la fenêtre du salon. Elle pleure dans sa manche de manteau. Elle est secouée de tremblements. Il appelle les parents de Johanne, les réveille, s'excuse, leur demande de venir chercher leur fille. Le père s'habille. La mère enfile un imperméable par-dessus sa jaquette. Quand ils arrivent, Johanne dort sur le balcon.

X

HARMONIE

La femme choisit une chemise, un pantalon, une paire de bas, et les pose sur la chaise en rotin. L'homme enfile la chemise, le pantalon, les bas, et se regarde dans le miroir. Il retrouve dans l'agencement de ses vêtements l'harmonie franche et discrète dont elle a le secret.

SINCÉRITÉ

«Si j'avais repassé dix chemises, je disais que j'en avais repassé vingt. Si j'avais marché deux milles, je disais que j'en avais marché six. J'étais comme ça depuis que j'étais toute petite. Quand nous nous sommes mariés, il m'a demandé de faire un effort de sincérité. Je disais à ma mère que j'avais fait vingt pots de confiture. Il corrigeait : douze. Je racontais à nos amis que nous avions passé deux semaines à Paris. Il corrigeait : dix jours. Je me suis mise à passer pour une menteuse.»

ASSURANCE

L'homme riche ne fera pas relier son système d'alarme à
une entreprise de surveillance. Pour ce faire, il lui en coû-
terait 280 $ et sa compagnie d'assurances ne baisserait la
prime que de 10 %. Il faudrait donc qu'il débourse 210 $
supplémentaires chaque année. Il n'en est pas question.

QUÊTE

Mes mains
Sans cesse
Caressent
Les meubles
Les rampes
Les murs
En quête
D'une aspérité

SYMPATHIES

Son frère est mort il y a trois jours. Yves n'est pas venu
travailler depuis. Je sais qu'il l'aimait beaucoup. Il est
censé rentrer au bureau ce matin. Qu'est-ce que je lui
dirai en le voyant? «Mes sincères condoléances»? C'est

aussi froid qu'un bouquet de roses blanches. « Je suis désolé »? C'est ce que dit le héros de *Love Story* à sa maîtresse mourante : elle lui fait promettre de ne plus jamais prononcer cette phrase. « Mes sympathies »? C'est un anglicisme, mais le mot est juste. Oui. Quand il entrera, je dirai : « Mes sympathies. »

PLAISIR

« Je travaille de quatre heures à minuit ce soir, et c'est possible que je fasse du temps supplémentaire de minuit à huit heures. Ma femme veut que j'aille patiner avec le petit à l'aréna. Avant-hier, pour ma fête, il m'a donné une belle petite chaise berçante en épingles à linge qu'il a fabriquée lui-même. Ça m'a vraiment fait plaisir. »

PROMESSE

La femme a accouché prématurément. Elle peut maintenant sortir. Son enfant doit rester à l'hôpital. Au-dessus de l'incubateur, elle lui envoie la main. Elle s'arrête au premier motel qu'elle rencontre et prend une chambre. Dans la salle de bain, elle se coupe les veines des poignets. Le lendemain midi, la femme de ménage la découvre. Les ambulanciers arrivent très vite. On la sauve de justesse. Ses amis lui rendent visite à l'hôpital. Elle leur fait la promesse de ne pas se manquer la prochaine fois. Le médecin signe son congé et lui conseille de se reposer. À la maison, elle se fait couler un bain chaud et s'y glisse avec un grille-pain branché dans les mains.

PAIX

— On fait la paix ?
— D'accord.
— Tu ne souris pas.
— Laisse-moi un peu de temps.

CONFIANCE

À la sortie du guichet automatique, Gisèle rencontre un homme avec qui elle a travaillé jusqu'au printemps passé. Il lui demande si elle aime son nouvel emploi à Ottawa. «J'avoue qu'il m'a quand même fallu une bonne période d'adaptation, dit-elle. Mon prédécesseur n'avait pas fait de ménage dans les dossiers depuis des années. J'ai dû réorganiser le plan de travail de mon département. Établir des contacts avec les gens du milieu.» Elle sent qu'il est pressé. Six heures approchent : il n'a peut-être encore rien acheté pour souper. «Je prépare une rencontre avec des hommes d'affaires du Bas-Saint-Laurent en novembre prochain. Le budget a été approuvé. Le président d'honneur est choisi. Un dépliant sera imprimé sous peu.» Tais-toi, se dit-elle. «Il faut que les gens répondent massivement à l'invitation. Si la participation est faible, il sera difficile de faire débloquer des fonds pour les projets spécifiques. » Tais-toi.

ACCUEIL

Ma grand-mère maigrit à vue d'œil. Ma mère dit qu'elle a un teint de cancéreuse. Ma sœur croit qu'elle vit pour la première fois une peine d'amour. Un homme cultivé et poli, récemment entré au centre d'accueil, avait pris l'habitude de dîner à sa table. Ensemble ils causaient d'histoire, de rois, de reines, de colonies et d'empires. Elle a fait une retraite de prière pendant la semaine sainte. Le soir de Pâques, il dansait la rumba avec une vieille excitée.

CALME

Il entre dans la maison
Fredonnant
Un air
Entendu à la radio
Tôt ce matin

Il ne sait pas
Que je suis
Dans un état
De calme
Presque absolu

ORDRE

Le professeur fait une erreur au tableau. Les élèves s'esclaffent. Il pose sa craie sur son bureau. Il attend que le calme revienne. Une petite blonde, au fond de la salle, ne peut s'empêcher de rire. Elle se lève, s'excuse et sort. L'air sérieux, le professeur s'engage dans un discours. «J'ai fait une erreur, commence-t-il. Je n'aurais pas dû, mais j'en ai fait une. Comment dois-je réagir? Me mettre à pleurer? Ce n'est pas une solution. Vous dire que j'ai droit à l'erreur? Comment alors justifier les examens, les notes, les échecs? Je suis piégé, et c'est précisément ce qui vous fait rire. Nous devrons pourtant continuer ce cours. Dans quelques instants, je m'y remettrai. Vous oublierez peu à peu mon erreur. Vous me croirez à nouveau sur parole. Tout rentrera dans l'ordre. Si je fais une autre erreur, vous rirez à nouveau. Cette fois-là, j'essayerai de rire moi aussi.»

BONHEUR

Mon père appelle son père, c'est son anniversaire, il dit bonne fête Pops, je te souhaite du bonheur et de la santé. Ne sachant quoi répondre, Pops dit : je te passe ta mère. Bonjour Mother, dit mon père. Non, non, rien de neuf.

RAISON

Dans une boutique, le petit garçon aperçoit l'ensemble de vaisselle que sa mère vient d'acheter : on le vend vingt-cinq dollars de moins que dans le grand magasin. Dès qu'il entre à la maison, il en informe sa mère. Elle remballe l'ensemble de vaisselle le soir même, le rapporte au grand magasin et exige un remboursement. On lui demande la raison de ce retour. Elle explique. La gérante, après vérification, décide de le lui offrir au prix de la boutique : elle lui remet vingt-cinq dollars. Pour féliciter le petit garçon d'avoir fait preuve d'un aussi bon sens de l'économie, sa mère lui achète un globe terrestre.

COMPASSION

Je n'ai pas le don de la compassion. Dieu ne me l'a pas accordé. Je dois vivre avec ce manque. C'est une épreuve qu'il me faut traverser. Mes amis ne se confient plus à moi. Je n'ai plus accès à leur intimité. Pour moi, leur vie n'est qu'une suite de décisions dont la motivation profonde m'échappe. Je n'ai pas essuyé de larmes sur un visage depuis des lunes. Pas même sur le mien.

XI

OR

Rouge, sang, l'incendie, un feu d'hiver
Bleu, marin, un lac d'azur, muscle d'horizon
Cou blanc, un collier frêle
Large main sans bague
Vert, pomme, pied à l'air et nid d'été
Jaune, or, une caresse dans les feuilles mortes

BRACELET

Je tends à ma sœur un petit paquet et lui dis : « Je t'avertis,
je préfère que tu l'échanges si c'est pas à ton goût. Je l'ai
pris dans un magasin où il y a plein de belles choses.
Surtout, sois bien franche. » Elle le développe, ouvre la
boîte. C'est un bracelet de cuir noir avec des ronds de
cuivre tout le tour, comme des boucliers. Ma sœur le
regarde, et baisse les yeux.

MÉDAILLON

Tu veux être le plus beau des invités. Tu mets ton pantalon bleu poudre, ta chemise rouge, ton veston à carreaux jaunes et blancs, tes souliers pointus et ton médaillon. Dans le métro, tu fais mine de ne pas voir les gens qui t'observent. Tu sonnes. Geneviève ouvre la porte. Elle t'embrasse et chuchote : «Je me suis lancée dans une recette pas mal compliquée !»

COLLIER

Les parents de Julie ne tolèrent pas la cigarette dans leur maison. Alain et son amie s'assoient donc sur le balcon. En fumant, Alain lui caresse une main et la regarde tendrement. Elle n'a pas l'air dans son assiette aujourd'hui. Elle ne parle pas. La mère de Julie annonce que le souper sera bientôt prêt. Alain doit retourner chez lui. Il descend dans le garage avec Julie qu'il enlace, puis embrasse. Elle serre les lèvres. Il monte sur sa mobylette. Elle dit : «On ne peut plus se voir, il faut que j'étudie très fort si je veux devenir vétérinaire un jour, tu comprends, je ne peux pas m'attacher.» D'un coup de pédale, il fait gronder le moteur, sort du garage et traverse les champs à toute allure. Un insecte lui rentre dans l'œil droit. La mobylette vacille. Il tient le guidon d'une seule main. De l'autre, il essaie d'enlever l'insecte de son œil qui brûle. Il stoppe sa mobylette, s'assoit au bord d'un fossé et regarde les blés qui ploient sous la force du vent. Ça fait mal sans bon sens. C'est sa première peine d'amour. En rentrant chez lui, il prend le collier de pierres bleues et orangées qu'il voulait offrir à Julie pour son anniversaire, le jette dans la toilette, tire la chasse d'eau. Le collier tournoie, puis se dépose au fond de la cuvette.

TROPHÉES

La veille du déménagement, Évelyne implora son mari de jeter ses vieux trophées.

PERLE

Cherchant la perle tombée de l'oreille de ma mère, je tâtais le fond du lac depuis un bon moment quand j'ai pris conscience que je n'avais plus de souffle. Pour remonter, je me suis mis à battre des pieds et des mains dans des gestes d'affolé. En jaillissant de l'eau, j'ai inspiré bruyamment, comme on le fait avant de s'exclamer. Toute la famille a cru que j'avais la perle.

BIJOUX

Les soirées ordinaires, qui s'éternisent en tisanes et en conversations molles, sont comme ces bijoux sans éclat qu'on achète sur un coup de tête et qu'on porte des années et des années sans se faire de souci.

TRÉSOR

Pars, cours, va, viens, dis, tais, chuchote et dors
Sens, touche, prends, laisse, et meurs et mords
Nettoie, bricole, décrypte, adore
Mais ne rampe pas
Penche-toi et ramasse le trésor

ANNEAU

Il accroche son veston à la patère. Je dépose mon livre sur la table à café. Il approche. Je me lève. Nous nous embrassons. Il me regarde en souriant mystérieusement et dit : «Donne-moi ta main gauche.» Il sort de sa poche de chemise un bel anneau d'argent qu'il glisse à mon annulaire. «Pourquoi ce cadeau?» dis-je. «Parce que je t'aime», répond-il en me serrant très fort.

XII

CROIX

Je te prends par le bras et t'attire vers mon lit.
Tu dis : «Non, on a convenu que c'était fini. Je veux
m'en aller.»
Je dis : «Allez, s'il te plaît, j'ai trop de désir, ça va me
rendre fou.»
Tu dis : «Et après tu vas me reprocher de ne rien déci-
der : je t'ai dit que je ne t'aimais pas.»
Je dis : «Mais t'aimes bien que je te caresse un peu?»
Alors tu t'étends sur mon lit, les bras en croix, et fermes
les yeux. Je glisse ma main entre tes jambes, par-dessus
ton pantalon.
Tu la repousses et dis : «Qu'est-ce que tu veux?»
Je réponds : «Te toucher. Juste ça.»

PARADIS

— Vous n'avez jamais mis en doute l'existence de Dieu
et de la vie éternelle, grand-maman?

— Non, jamais. J'ai prié tous les jours de ma vie et je suis allée à l'église tous les dimanches. Maintenant, je suis trop vieille pour me mettre à douter. Si le paradis n'existe pas, ce sera tant pis.

DÉMON

En parlant au téléphone
Tu as dessiné
Un drôle de démon
Sur le compte d'électricité
Est-ce que je me trompe?
Il a mes yeux

ADESTE FIDELES

Chantons, mon ami, dans la rue déserte. Chantons donc *Adeste Fideles,* toi de la gorge et moi du nez. Avec amour, mon ami, dans cette nuit froide. Tourne ta tête, écoute les gens qui jasent au loin, chante-moi *Adeste Fideles,* vide ton sac. Il y a des papiers fripés, des stylos à sec, un carton d'allumettes et une photo de ton amour impossible. Elle est sale, toute gondolée. Il a plu, il a neigé dans ton sac d'école.

PAPE

Le pape est en visite à Montréal. Reine et Carol sont venus souper à la maison. Ils partent pour la Grèce demain. Nous avons mangé du homard pour fêter le début de leurs vacances. Dès qu'ils sont sortis de la maison, Pierre a remis sa fausse moustache et a recommencé à pousser ses cris. France et moi avions peur. Elle s'est enfermée dans sa chambre; je me suis réfugié dans la salle de bain. Pierre rôdait dans le corridor. Je me suis appuyé sur le lavabo pour voir par-dessus la porte : il s'est décroché. Le tuyau d'eau froide a éclaté. Je cherchais une valve : il n'y en avait pas. France et moi sommes descendus chez les voisins. Nous savions qu'il y avait une valve dans la cave. La bassinette de leur bébé était installée juste au-dessus de la trappe. Ils ont dû le réveiller. Je ne voyais absolument rien là-dessous. Je suis remonté. Nous avons appelé les pompiers. Ils sont arrivés en faisant crier leur sirène. Tout le voisinage était paniqué. L'ivrogne d'en haut est descendu en robe de chambre et s'est mis à me parler de méthodes d'enseignement audio-visuelles.

MIRACLES

Il n'y a plus de miracles
Dans cette ville neuve
Il n'y a que de la chance
De la malchance
Et des miroirs

APPARITION

Je vois apparaître un fantôme sur mon balcon. Je cours à la fenêtre. Il n'y a rien. Je me rassois à table. J'avale une cuillerée de soupe.

BON DIEU

Ma grand-mère me fait la bise avant de partir et me sou-haite «bonne chance». C'est sa façon de dire à la fois «au revoir» et «adieu», car elle a quatre-vingt-douze ans, et le bon Dieu risque de venir la chercher à tout moment. En attendant, elle mesure chaque jour sa pression, sonde chaque coup de son cœur lent et capricieux.

POUSSIÈRE

Passer le balai
Sur le plancher
C'est une corvée
Pour quelqu'un
Qui est déprimé
Mais pour quelqu'un
Qui est de bonne humeur
C'est une activité
Comme une autre

Avec le balai
On pousse la poussière
Dans le porte-poussière
Il ne faut pas s'en faire
C'est normal
Il en reste toujours
Une petite ligne
Qu'il faut disperser
D'un coup de soulier

RÉSURRECTION

Il voulait disparaître. Il a avalé une pleine bouteille de somnifères. Il a perdu connaissance. Il a passé des mois à l'hôpital. Il a recommencé à vivre. Maintenant, il fait la fête avec ses amis et craint la mort comme personne.

PARDON

— Tu n'es pas fiable.
— Pardonne-moi.
— Tu m'avais promis de rentrer avant six heures.
— Pardonne-moi.
— J'avais préparé un bon repas.
— Pardonne-moi.
— Tu aurais au moins pu m'avertir.

XIII

PSYCHIATRE

«On dirait que quelque chose brûle dans ma tête. C'est douloureux. Tu ne peux pas savoir. Personne ne peut m'aider. Pas même mon psychiatre. Il a perdu la vue il y a six ans. Il a une sensibilité extraordinaire. Il m'écoute avec attention, il essaie de m'encourager, mais je sens que c'est irréversible. Je n'arriverai pas à retrouver le sens de la réalité.»

SURVEILLANT

Nous avons soufflé sur la fleur
Les pétales sont tombés
Ô petit ami
Cachons-nous
Le surveillant grimpe l'escalier

BERGER

Ma grand-mère n'est allée qu'une seule fois au cinéma. Le film racontait l'aventure d'une femme mariée qui s'éprenait d'un jeune berger. Le mari était chauve. Il buvait cognac sur cognac et passait son temps à piquer des colères. Le jeune berger avait de beaux cheveux bouclés. Il savait amuser les enfants avec des objets tout simples : un caillou, une ficelle, un morceau de bois. Ma grand-mère préférait l'amant au mari. Dans ses souliers de cuir, ses orteils se retroussaient. Elle a vite compris que ces histoires-là n'avaient pas de sens.

ACTEUR

Quand tu m'emmènes au lac Vert, que tu me fais faire un tour d'auto dans tes montagnes et que tu pointes un pin qui ressemble à un ogre. Quand tu trembles à l'idée de nous voir nus, ensemble, dehors, traînant nos livres d'une main et nos souliers de l'autre. Quand tu me regardes nager et que tu ris en voyant que j'ai peur des algues qui m'enlacent les pieds, tu sais, je t'aime, et je me dis voilà ce que c'est la vie, c'est inutile et ça sert à s'amuser. Alors, je me pose toutes sortes de petits défis. Je dois traverser tout le lac à la nage, lire trois cents pages, toucher le fond de l'eau, sauter de la plus haute roche. Et tu me dis : tu n'es pas capable de te reposer ! Quand le soleil décline, que ses rayons faiblissent et que nous sommes toujours nus, je commence à avoir froid, je veux rentrer, mais je sais que je le regretterai. Alors j'enfile

ma camisole et je parade pieds nus autour du lac comme
si j'étais un bel acteur.

TROMPETTISTES

Les trompettistes
Suivent
La corneille
Qui s'engouffre
Dans la mine
D'uranium

CAISSIÈRE

Je salue la caissière. Elle me salue. Je dépose les con-
combres sur le comptoir. D'une voix douce, elle annonce :
deux et vingt-huit. Je lui donne le compte exact. Elle me
remercie. Je prends mon paquet. Je la remercie.

CAPITAINE

— Qu'est-ce que tu fais jeudi soir ?
— Je ne sais pas, capitaine.
— On pourrait aller souper ensemble.
— Oh ! j'oubliais : je vais au théâtre.

DÉCORATRICE

L'organisateur du tournoi sépare le groupe en équipes. La femme et son mari sont jumelés à une jeune décoratrice. Tour à tour, ils montent sur le tertre. La femme frappe sa balle assez mollement mais en plein centre du terrain. Le mari et la jeune décoratrice jouent de bons coups : leurs balles s'immobilisent tout près du green. Le mari accompagne sa femme qui doit jouer la première. Elle sent monter en elle un sentiment de jalousie. Tout de suite, elle le réprime et dit : « Cette fille est très jolie. »

GÉRANT

Il a lu dans le journal du quartier que se tiendrait une grande vente de fleurs le samedi matin dans le parking du centre commercial. Il aurait tant aimé pouvoir faire son choix avant d'affronter la cohue ! Par curiosité, le vendredi soir vers onze heures, il décide d'aller faire un tour au centre commercial avec sa femme. Quand ils arrivent, ils aperçoivent un jeune Chinois en train de décharger un camion rempli de fleurs. L'homme sort de sa voiture et le salue. Le jeune Chinois est contrarié. Il vient de se disputer avec son collègue qui l'a plaqué là avec tout le chargement. L'homme lui propose un marché : s'il consent à lui vendre quelques boîtes ce soir même, il l'aidera à décharger les fleurs. Le jeune Chinois accepte. Ils se mettent aussitôt à l'œuvre. La femme, qui est restée dans l'auto, voit un grand blond approcher. Il surprend l'homme dans la boîte du camion. « Qui c'est celui-là ? »

demande-t-il au jeune Chinois. «C'est le gérant», répond-il. Le grand blond crache par terre. Il crie «tu vas me le payer!» et repart en courant. Ils finissent de décharger le camion en hâte. L'homme choisit cinq boîtes de géraniums, six de bégonias et quatre de boutons d'or. «J'aimerais mieux que vous ne les preniez pas tout de suite, dit le jeune Chinois. Je vous attendrai à l'intersection du boulevard, là-bas, après le viaduc.» Ils montent dans leurs véhicules respectifs. Le camion précède la voiture. Personne ne semble les suivre. Ils s'arrêtent tous deux sur l'accotement. Le jeune Chinois ouvre la boîte du camion. «Combien je te dois?» dit l'homme. «Je vous fais un prix spécial : quinze dollars pour le tout.» L'homme paie. Ils transportent les fleurs dans le coffre de la voiture et se souhaitent bonne nuit.

ÉCLAIRAGISTE, RÉGISSEUR, CAMERAMAN

Étienne entra sur le plateau de tournage, entièrement nu. L'éclairagiste banda. Le régisseur banda. Le cameraman banda.

MENUISIER

Le menuisier au visage d'enfant, tout vêtu de vert, dîne au casse-croûte avec ses amis. Ensemble ils discutent d'automobiles, de hockey, de scies spéciales et de prêts à la banque. Puis le menuisier au visage d'enfant parle de cette hanche endolorie qui le fait boiter et qu'il voudrait guérir.

ARTISAN

Dans la boutique de l'artisan
Les voyageurs sont silencieux
Ils cherchent le petit paysage
Qui résumera tout leur voyage

PHARMACIENNE

À la sortie de la messe, la femme du chef de police tire la pharmacienne à l'écart. Elle lui fait d'abord des compliments sur sa tenue (la pharmacienne porte un ensemble jaune semé de taches noires) puis, embarrassée, lui confie qu'elle veut faire repeindre sa maison. Elle a longuement réfléchi aux couleurs possibles. Elle ne veut plus de brun, ni de jaune, ni de gris. Elle est un peu mal à l'aise de faire cette demande et tient à ce que la pharmacienne se sente bien libre de donner ou non son accord : elle aimerait la faire peindre comme la sienne, vert tendre et rose pâle. Elle ne veut pas que leur relation soit brouillée ni que les gens du village l'accusent d'avoir copié sans permission. Elle lui demande d'y réfléchir un peu et lui propose de venir souper à la maison avec son mari un soir cette semaine. Ils pourront discuter librement en mangeant. Oh! Elle ne fera rien de bien compliqué. Une salade, des patates au four, des steaks sur charbon de bois.

VENDEUR

Devant le rayon des tournevis, j'hésite. Le choix est vaste. Les prix varient de dix à trente dollars. Je les examine un à un. J'analyse leurs forces et leurs faiblesses. Un vendeur passe. Je lui demande de m'aider à choisir. Il m'explique les particularités de chaque tournevis. Je le remercie. J'hésite encore. Je choisis le moins cher.

ÉBÉNISTE

Le rocher aime l'eau
L'eau aime le poisson
Le poisson aime l'hameçon
L'hameçon aime le pêcheur
Le pêcheur aime une femme
La femme aime un ébéniste

LAITIER

Il pose son stylo sur le bureau et dit : « Il faut que tu partes. J'ai du travail à faire. Je ne peux pas me permettre de recevoir les gens aussi longtemps. J'ai besoin d'une solitude complète. Sans cela, je ne peux pas être efficace. » Un grand silence emplit la pièce. Il se retourne. Il n'y a personne dans le salon. Personne dans la cuisine. Personne dans la cour. Il descend le talus qui mène à la rivière. Personne sur l'eau. Des coups de vent violents le font vaciller : il s'agrippe à un arbre. Il frotte son visage mouillé contre l'écorce. Le camion du laitier s'arrête devant la maison.

SHÉRIF

« On était très pauvres à l'époque. On échangeait les bouteilles de Pepsi pour payer l'épicerie. Parfois, vers la fin du mois, ton père était obligé de voler de la viande dans les marchés. Mais quand on a vu le petit habit de shérif, on n'a pas pu résister. Regarde comme tu étais mignon là-dedans ! »

ANTIQUAIRE

L'antiquaire s'enfonce loin dans le bois, vêtu de son long manteau de fourrure. Il s'accroupit, dos appuyé contre un gros érable, et ne bouge plus. La fine neige qui tombe du ciel fait disparaître ses traces de pas, puis le recouvre complètement. Les chevreuils, les lièvres et les renards se mettent à passer tout près de lui sans l'apercevoir.

XIV

PRINTEMPS

La petite fille aux yeux de chat et le petit garçon aux pommettes saillantes s'assoient en silence sur l'arbre mort près du pont. Sans préambule, elle annonce qu'elle n'est plus amoureuse de lui. Le petit garçon pleure. Elle se lève. Il la suit. C'est le printemps. La terre est molle. Il y a des flaques d'eau un peu partout. Au fond de sa poche de pantalon, le petit garçon retrouve le dix cents que sa mère lui a donné pour l'avoir aidée à racler la pelouse. Il saisit le bras de la petite fille. Elle se retourne. Il lui tend le dix cents et dit d'un air suppliant : « Si tu restes avec moi, je te le donne. »

ÉTÉ

Mes mains
Soutiennent
La branche fêlée

Comme des grêlons
Tombent
Les vœux

Entre tes pieds
Ruisselle
Un filet d'été

AUTOMNE

Le peintre essuie ses pinceaux et regarde sa toile une dernière fois. Il enfile ses bottes et monte dans son auto. Il ne sait pas que sa femme n'est pas à la maison, qu'elle lui a laissé un mot lui disant de venir la rejoindre chez leur amie photographe. Le peintre décide d'aller faire un tour sur la montagne avant de rentrer. Il veut s'approcher du ciel. Appuyé sur la balustrade, il fume un cigarillo en regardant la ville. Le soleil jette sur les maisons une lumière déchirante. Le peintre remonte dans l'auto et entend à la radio une chanson de Jean Ferrat qui lui fait penser à ce chandail brun et jaune que ses parents lui avaient donné pour ses onze ans et qu'il avait porté tout un automne. Il gare sa voiture à quelques rues de chez lui. En entrant, il entend sa femme qui joue un air au piano.

HIVER

La mère étend le manteau de sa fille sur la corde à linge et prie le vent d'hiver d'emporter l'odeur de feu.

XV

ROUTE

Ils avaient acheté un porte-bonheur et l'avaient suspendu au rétroviseur de leur auto. Ils se promenaient sur une route serpentine quand ils aperçurent un camion qui dérapait en fonçant sur eux. Ils fermèrent les yeux. Quand ils les rouvrirent, l'auto était juste au bord d'une falaise. Ils saignaient. Ils étaient tous deux vivants. Un homme vint à leur secours, répétant : « Vous êtes nés douze fois, vous êtes nés douze fois. »

TRAJET

Entrer au bureau de poste, demander deux timbres pour deux cartes postales, dire merci et sortir. Entrer chez le cordonnier, dire que c'est pour réparer, demander combien ce sera, demander quand ce sera prêt, dire merci et sortir. Entrer chez le médecin, dire je ne me sens pas bien, j'ai toujours mal au ventre, écouter son diagnostic, dire merci et sortir. Rentrer chez soi, demander à son amour s'il nous aime toujours, s'étendre sur le lit, tirer les draps, continuer le trajet sur un grand bateau dévalant des collines.

ALLÉES

Après le souper, les voisines se baladent ensemble dans les allées du parc. Yolande, qui a toujours de bonnes histoires à conter, leur confie que son mari, de peur qu'elle n'engraisse, a décidé de garder les gâteaux et les sucreries dans une armoire cadenassée.

PISTE

À bicyclette
Je filais
Sur la piste
Suivi de l'orphelin

Après l'intersection
J'ai tourné la tête
Enfin
Je l'avais semé

TRAVERSÉE

La fille pressée traverse au feu rouge. Au milieu de sa course, elle doit s'arrêter : des autos arrivent des deux côtés. Sur la ligne blanche, elle tremble. Un autobus frôle son sac à main.

TROTTOIRS

Je monte en ascenseur jusqu'au sixième étage de la maison de retraite. Par la porte entrebâillée, j'aperçois ma grand-mère, assise à son petit bureau. Ses longs cheveux blancs sont ramassés comme à l'habitude en une toque solide. Elle porte une blouse de soie blanche, une jupe bleu marine et des souliers gris à larges talons. Elle retourne tranquillement les cartes étalées devant elle. Il fait beau soleil dehors, mais les trottoirs sont encore glacés par endroits. Elle ne fera pas de promenade tant que le sol ne sera pas complètement sec. Elle n'attendait pas de visite cet après-midi. Elle a donc décidé de sortir les cartes et de faire un jeu de patience.

CORRIDOR

Bien que nous nous croisions
Dans le corridor
Presque tous les jours
Mon voisin et moi
Sans consultation
Avons décidé
De ne pas nous saluer

CHEMIN

Il me regardait du coin de l'œil dans le chemin vaseux. Il était couvert de piqûres de moustiques. Ses bottes de caoutchouc s'enfonçaient légèrement dans le sol. Je le suivais. Il avait de belles épaules, de belles cuisses. Je le suivais de très près, comme un fantôme. Je soufflais mon haleine sur sa nuque. Les épinettes embaumaient. J'ai aperçu la cabane au loin. Mon corps brûlait dans l'ombre des arbres. «C'est ici», a-t-il dit solennellement. Je l'ai regardé de mes yeux verts. Il a ouvert la porte. L'intérieur de la cabane en bois était entièrement sculpté d'anges, d'oiseaux, de paysages, d'ours et d'étoiles. Il s'est approché du lit et m'a dit : «Les draps sont fournis, la toilette est à l'extérieur, il n'y a cependant pas d'eau courante. Voici la clef.» Puis il m'a serré la main.

BOULEVARD

Les enseignes lumineuses
Sur le grand boulevard
Attendent la fin du jour
Pour voler la vedette au néant

VOIE

Tu voyais que j'étais sur la mauvaise voie, mais tu ne m'as rien dit. Tu savais que je repousserais tous tes conseils.

RUE

Un homme m'approche sur la rue et m'explique qu'il est venu de Granby en autobus pour voir son garçon qui habite chez son ex-femme et qu'il n'a plus d'argent pour retourner chez lui. L'homme tient une petite valise blanche. Je lui donne cinq dollars. Deux jours plus tard, l'homme à la valise m'approche sans me reconnaître et me raconte à nouveau sa triste histoire.

RUELLE

Il attache la serviette à son cou avec une épingle à linge et court dans la ruelle. Quel plaisir de voir cette cape voler !

SOUTERRAIN

J'embrasse un homme que je n'aime pas dans un passage souterrain. Il pose ses mains tout en haut de mes cuisses. Je respire sa sueur aigre. J'effleure sa peau rêche. Il me serre contre lui. Il glisse sa jambe entre mes jambes. Je le serre contre moi.

AUTOROUTE

Elle caresse la tête de son petit garçon, lui débarbouille le visage, rentre son chandail dans ses culottes, ajuste la ceinture de son pantalon, attache les lacets de ses souliers, peigne ses cheveux. Le petit ne bouge pas. Il regarde au loin les camions qui passent. Elle lui dit d'attendre deux minutes, ils iront manger au restaurant. Sur l'autoroute, la mère roule très lentement. Bien en dessous de la vitesse minimale permise. C'est dangereux. La mère n'a jamais voulu entrer dans la vraie vitesse du monde. Elle se tient en deçà du monde avec sa basse pression et ses oublis fréquents. Elle se dit : je n'ai rien ni personne à dépasser.

XVI

SANG

Je défais ses liens. J'allume une cigarette et la lui tends. Il prend une grande bouffée. Il s'étouffe. Il regarde le médecin, ses deux poignets entourés de bandages, la chambre vide. Il se met à hurler. Nous reculons d'un pas. Il saute en bas de la civière. Le médecin lui fait un croc-en-jambe. Il tombe. J'essaie de l'immobiliser. Il me mord une oreille. Il se débat. Je demande de l'aide. Mon sang coule sur son visage.

SUEUR

Les enfants cherchent des trèfles à quatre feuilles dans la cour du chalet. Ils cueillent des pierres précieuses dans les champs, leur donnent des noms et les exposent sur la galerie. Ils courent pieds nus sur la gravelle sans crier, et leurs cheveux se mouillent de sueur. Ils appliquent de la sève de pissenlit sur leurs blessures. Ils s'aventurent dans la forêt, la nuit, sans lampe de poche, en se tenant par la main. Ils ne veulent pas aller se coucher alors que les grands jouent aux cartes en bas. Dans le lit, ils se racontent des histoires épeurantes, se chatouillent et s'endorment, collés les uns contre les autres, tout chauds.

SPERME

Je t'embrasse. Tu m'embrasses. Je détache ta ceinture pendant que tu essaies de détacher la mienne. J'enlève ton pantalon. Ton sexe pointe vers le plafonnier. On aurait dû se faire un meilleur éclairage.
Dans le lit, tu t'impatientes. Je me déshabille tranquillement. Je monte sur ton corps chaud. Tu me renverses. Tu montes sur mon corps lisse. Je te renverse. Je glisse doucement mon sexe dans la chaleur de tes testicules. Nous tanguons. J'éjacule. Mon sperme forme un petit lac dans ton nombril.
Tu montes sur moi. Tu me caresses les cheveux et rentres ton sexe dans mes fesses. J'ouvre toutes grandes mes jambes. Et ton sexe devient extrêmement dur, doux, brûlant. Tu fermes les yeux. Ton sperme jaillit. Entre chaque jet, tu perds ton souffle, le reprends et me souris.
Tu tombes sur moi et t'évanouis. Je t'embrasse sur le front. Au milieu de la nuit, on s'éveille tous deux. Il fait jaune dans la chambre. On a oublié d'éteindre la lumière. Reste toujours près de moi.

PLEURS

Le chien s'élance sur le petit, qui tombe, se relève, court. Huguette l'aperçoit, visage ensanglanté. A-t-il perdu un œil? Le père et l'enfant partent pour l'hôpital. Raymond, André et Joël vont retrouver leur frère au champ et le somment de tuer son chien avant la tombée de la nuit. Marcel refuse. «Que faisait cet enfant chez moi?» dit-il. Huguette demande aux trois hommes de repousser l'ulti-matum qu'ils imposent à leur frère : les médecins peuvent avoir besoin d'examiner l'animal afin de vérifier s'il a la rage. Le père dit sèchement à Raymond, à André et à Joël de se mêler de leurs affaires. «On vous reconnaît bien, le père, répondent-ils, vous avez toujours préféré les ani-maux aux êtres humains.» La mère s'effondre en pleurs. «Vous ne nous empêcherez pas de dire ce qu'on pense en jouant avec nos sentiments, la mère. On le connaît le petit jeu. Depuis qu'on est hauts comme ça, on n'a jamais pu exprimer ce qu'on ressent. C'est fini ce temps-là.»

VENIN

De sa chambrette
Une odeur de solitude
Rance
Monte
Personne
N'ose avaler
Son venin

CRACHAT

Étendu sur une chaise longue, je regarde les Jeux olympiques à la télévision. Surtout les compétitions équestres. On a des chances de gagner une médaille d'argent. Les chevaux glissent dans la boue. Les cavaliers risquent à tout moment de tomber et de se faire écraser par leur monture. Je souffre d'une pneumonie. Les quintes de toux déchirent ma gorge. Je crache dans des kleenex roses. Il faut que je chasse tout le mal.

SALIVE

«Je m'excuse d'être obligé de te dire ça mais quand on s'embrasse, j'aimerais que tu sortes moins ta langue et que tu gardes un peu plus ta salive. Tu ne t'en es jamais rendu compte mais je viens toujours près de m'étouffer.»

URINE

Quand elle aperçut l'informe sirène aux défenses meurtrières qui trônait sur le mur de la toilette exiguë, la petite Sophie urina sur le plancher.

LARME

Dans les haut-parleurs, une voix annonce que le service de métro est interrompu pour une période indéterminée. Il suit la foule et sort dans le matin ensoleillé mais glacial. Il longe la rue commerciale, serrant d'une main le col de son manteau. Il entre au magasin de tatouages. La rockeuse le reconnaît tout de suite. C'est l'homme qui veut se faire tatouer une larme bleue sur la joue.

Éditions Les Herbes rouges

ROMANS, RÉCITS, CONTES ET NOUVELLES

France Théoret   *L'Homme qui peignait Staline*
                        Nous parlerons comme on écrit
                        Une voix pour Odile
Larry Tremblay   *Anna à la lettre c*
Lise Vaillancourt   *Journal d'une obsédée*
Roger Viau   *Au milieu, la montagne*
Yolande Villemaire   *Ange amazone*
                        Meurtres à blanc
                        La Vie en prose

Cet ouvrage a été achevé d'imprimer
aux Ateliers graphiques Marc Veilleux
à Cap-Saint-Ignace en février 1993
pour le compte des
Éditions Les Herbes rouges

Imprimé au Québec (Canada)